sabrina galasso - elisa giuliani pancheri

raccontami 2

quaderno di esercizi

ALMA Edizioni - Firenze

Direzione editoriale: **Ciro Massimo Naddeo**
Progetto grafico, impaginazione: **Maurizio Maurizi**
Progetto copertina: **Maurizio Maurizi** e **Sergio Segoloni**
Illustrazioni interne e disegno copertina: **Marisa Canova**

Printed in Italy
ISBN libro 978-88-8923-714-4
© 2005 ALMA Edizioni

L'esercizio di pag. 37 è un'idea tratta da *Anna Whittle · Tiziana Chiappelli "Italiano Attivo
· attività linguistiche per l'insegnamento dell'italiano ai bambini"*, ALMA Edizioni, Firenze, 2005.

ALMA Edizioni
viale dei Cadorna, 44
50129 Firenze
alma@almaedizioni.it
www.almaedizioni.it

Indice

Guarda la figura e cerchia la parola corrispondente.

gatto albero topo

bambino cane sole

oca farfalla rana

hotel casa zaino

pesce topo mucca

cane lago uccello

2

Quale vocale manca per completare le parole?

ran ☐

bamb ☐ no

☐ rba

alb ☐ ro

m ☐ cca

☐ strice

p ☐ sce

ucc ☐ llo

vas ☐

n ☐ do

3 Guarda le figure e segna la frase giusta.

Bruchetto va a scuola.

 È sera.

 È mattina.

Bruchetto torna a casa.

 È mezzogiorno.

 È sera.

Bruchetto fa i compiti.

 È pomeriggio.

 È notte.

Bruchetto cena con mamma e papà.

 È mattina.

 È sera.

Bruchetto dorme.

 È notte.

 È mezzogiorno.

Scrivi i giorni della settimana nel cruciverba.

4

Confronta con il libro a pagina 18...

1 È il giorno numero 1 della settimana.
2 È il giorno numero 2.
3 È il giorno numero 6.
4 È il giorno numero 4.
5 È il giorno numero 3.
6 È il giorno numero 7.
7 È il giorno numero 5.

Quale parola appare nelle caselle grigie? Scrivi la parola qui:

Bene, molto bene!
Ora riscrivi i giorni
in ordine esatto.

Unità 1

5

Maschile o femminile? Metti la crocetta al posto giusto.

	♂	♀
Topo	☐	☐
Albero	☐	☐
Lago	☐	☐
Scuola	☐	☐
Maestra	☐	☐
Oca	☐	☐
Rana	☐	☐
Prato	☐	☐
Quaderno	☐	☐
Parola	☐	☐
Sera	☐	☐
Mattina	☐	☐
Pomeriggio	☐	☐
Matita	☐	☐

Arriva un aereo carico di parole. Trova tutte le parole e scrivile qui sotto.

caneaereomaremaestraneTocagnolinaaereoportomacchiabiancostradaamicaocchinotte

2 Guarda le figure, leggi le risposte e poi scrivile nel fumetto giusto.

Come ti chiami?

Come si chiama la cagnolina?

Come si chiama il cane?

Si chiama Lampo.

Si chiama Nina.

Mi chiamo Chiara.

Mi chiamo Nicola.

3 Completa le frasi con il verbo giusto.

ha   *ho*   *ha*   *hai*

Io [ ] una tartaruga.

Chiara [ ] un pesce.

Riccardo, tu [ ] una tartaruga?

Nicola [ ] un pappagallo.

4

Scrivi i numeri al posto giusto nella chiocciola.

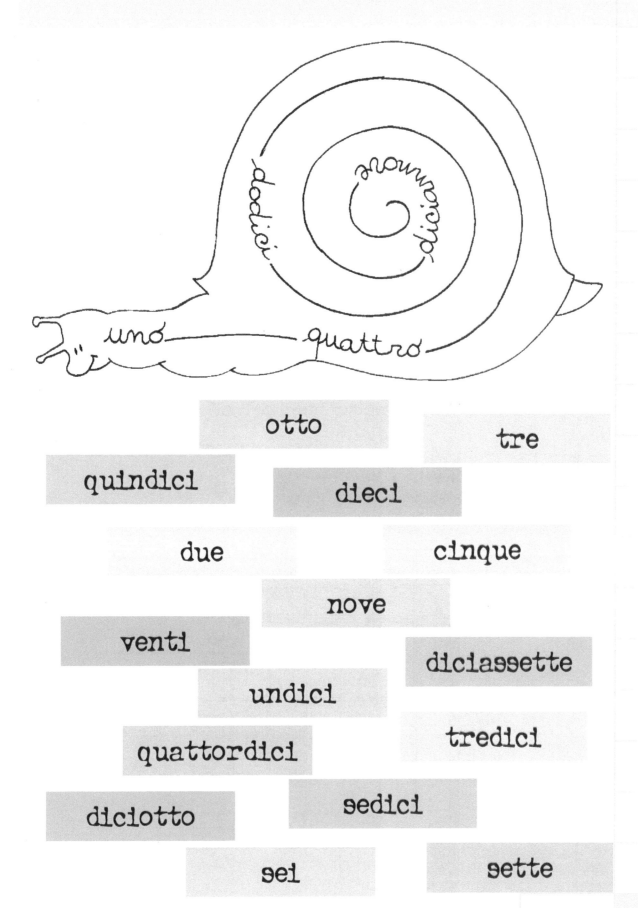

otto

tre

quindici

dieci

due

cinque

nove

venti

diciassette

undici

quattordici

tredici

diciotto

sedici

sei

sette

5 Quanti anni hanno la macchina e il computer della signora Lisa?

La signora Lisa ha una macchina.

La macchina ha gli anni di Nina _____ +

gli anni di Nicola _____ =

La macchina ha _____ anni.

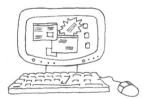

La signora Lisa ha anche un computer.

Il computer ha gli anni di Chiara _____ -

gli anni di Nina _____ =

Il computer ha _____ anni.

6 Completa il cruciverba con i nomi degli animali. Nelle caselle grigie comparirà il nome di un uccello.

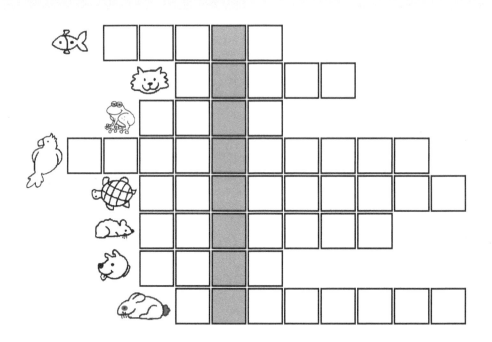

Nome dell'uccello: _____

7

Cancella gli aggettivi sbagliati e poi scrivi la frase corretta sulla riga.

Chiara è buono, bravo, bella, magro.

_____

Paolo è buona, bello, grassa, simpatica.

_____

Io sono bravo, brava, simpatico, simpatica.

_____ e _____

Segna la frase giusta.

8

	giusto	sbagliato
Io mi chiamo Chiara e sei una bambina.	☐	☐
Io mi chiamo Chiara e sono una bambina.	☐	☐
Tu sono Ilaria.	☐	☐
Tu sei Ilaria.	☐	☐
Lisa sono la maestra.	☐	☐
Lisa è la maestra.	☐	☐

Metti insieme le parole e poi scrivile in ordine.

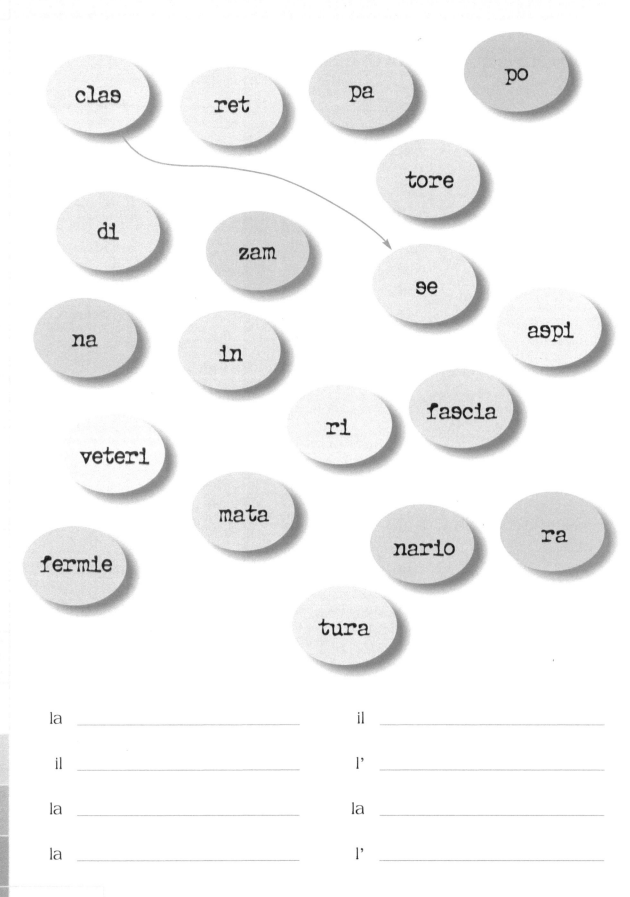

la _____   il _____

il _____   l' _____

la _____   la _____

la _____   l' _____

2

Quanti sono: 1 o 2? Guarda la figura e scrivi le parti del corpo sotto il numero giusto.

1	2
testa	

3 Unità

3 Ahi che male! Scegli la risposta giusta.

Se non ricordi bene,
controlla sul libro a pagina 42.

> hanno la tosse
> ha mal di orecchie
> hanno mal di schiena
> ha mal di pancia
> ha mal di testa
> hanno l'influenza
> ha mal di piedi
> ha mal di denti

 Che cos'ha il Direttore?

_____

 Che cos'ha il papà di Nicola?

_____

 Che cos'ha Chiara?

_____

 Che cos'hanno i nonni di Nicola?

_____

 Che cos'hanno la mamma e il papà di Chiara?

_____

 Che cos'ha la signora Lisa?

_____

 Che cos'hanno Anna e Nicola?

_____

 Che cos'ha Giulia?

_____

4

Segui i due percorsi e scopri cosa trovano Nina e Lampo. Poi scrivi i nomi nelle due colonne.

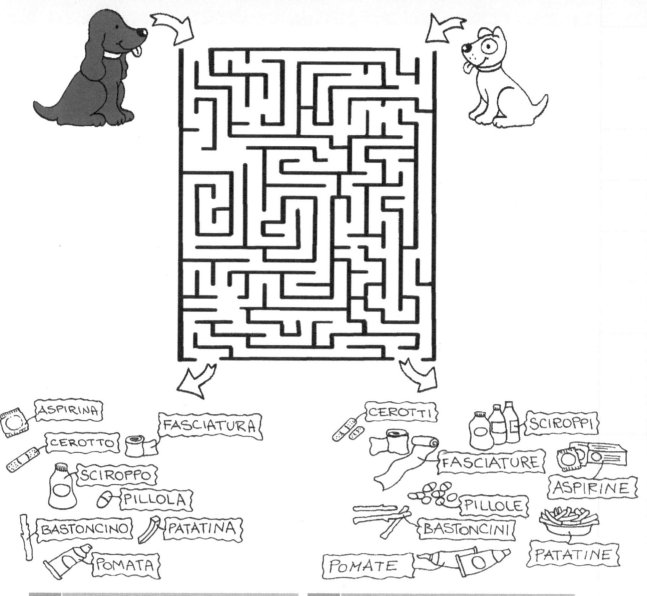

	Che cosa trova Lampo?		Che cosa trova Nina?
1		1	
2		2	
3		3	
4		4	
5		5	
6		6	
7		7	
8		8	

5

Sai cambiare altre parole da *uno* a *tanti*?

Maschile

uno ➞ o	tanti ➞ i
aereo	*aerei*
bambino	_____
dado	_____
uccello	_____

Femminile

una ➞ a	tante ➞ e
casa	_____
macchina	_____
infermiera	_____
zampa	_____

6

Leggi la storia e completala con le parole della lista.

Nicola non è a scuola. È a casa perché ha la _____ e la

_____ e sta _____. Chiara è _____ perché

Nicola non sta bene. Il dottore dice a Nicola: "Prendi la _____."

Nicola prende la medicina e dopo è _____.

triste / medicina / tosse / male / febbre / felice

Quali problemi ha la casa della signora Lisa?
Completa le parole e poi scrivi il problema nel riquadro giusto.

      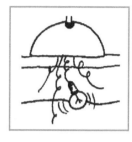

1	2	3
In cu __ __ n __	In b __ __ n __	In sa __ __ t __ __
_____	_____	_____

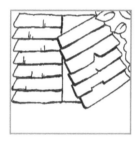   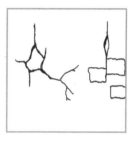

4	5
In ca __ __ __ a da l __ t __ __	Nei m __ __ __ __
_____	_____

| i buchi | le persiane | il lavandino | i tubi | le luci |

4
Unità

2

Cerchia tutte le parole del sogno della Signora Lisa e poi scrivile al posto giusto.

Cerca così!

B	L	L	T	A	V	O	L	O	O	L	A	T	A	Z
F	R	I	G	O	R	I	F	E	R	O	R	O	O	L
E	D	F	I	R	D	E	D	O	L	E	T	R	O	D
T	S	I	L	E	T	N	M	I	F	F	E	P	A	I
M	E	G	E	O	A	R	T	E	O	S	G	E	C	V
A	D	U	T	C	H	D	A	F	R	U	T	D	A	A
R	I	R	T	O	A	L	O	V	O	B	E	I	R	N
T	E	I	O	L	U	R	O	I	I	R	U	N	T	O
P	E	S	C	E	S	P	A	D	A	G	M	E	O	T
Z	Z	H	H	L	Q	S	O	N	I	A	V	I	L	R
P	E	S	C	E	S	E	G	A	E	L	L	R	I	E
R	O	L	O	F	I	B	A	L	D	L	C	A	O	D
P	E	S	C	E	M	A	R	T	E	L	L	O	E	R
P	Z	H	Z	E	F	L	A	V	A	T	R	I	C	E
A	R	M	A	D	I	O	F	C	O	P	E	R	T	A

Il mare

1. _____
2. _____
3. _____
4. _____

La casa della signora Lisa

1. _____
2. _____
3. _____
4. _____
5. _____
6. _____
7. _____
8. _____
9. _____

3

Quanti soldi! Perché? Confronta il libro a pagina 49 e completa le parole.

1000 Euro

i _____ € c _____

e _____ € d _____

f _____ € t _____

m _____ € q _____

4

Ora fai tre piccoli disegni.

1. Disegna un libro **sopra** il tavolo.
2. Disegna un gatto **sotto** il tavolo.
3. Disegna Nina **in** macchina.

5 Ti ricordi queste parole? Come si dice quando invece di *uno* sono *tanti*?

	uno	**tanti**	
	cane	_____	
	sole	_____	
	Direttore	_____	
	piede	_____	
	istrice	_____	
	dente	_____	

6 Che ore sono? Guarda questi orologi. Tutti gli orologi hanno la lancetta lunga, quella dei minuti. Completa tu gli orologi con la lancetta corta, quella delle ore.

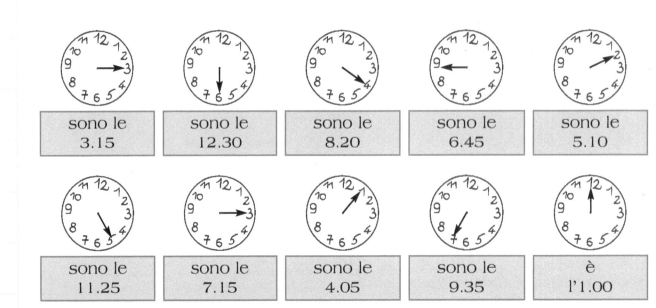

sono le 3.15	sono le 12.30	sono le 8.20	sono le 6.45	sono le 5.10
sono le 11.25	sono le 7.15	sono le 4.05	sono le 9.35	è l'1.00

7

Misuriamo con... il metro!

Prendi il metro e misura:
1. il tuo letto   2. l'armadio
3. il frigorifero   4. il tavolo della cucina

Il letto misura _____

Ora continua a scrivere tu:

L'a _____

Il f _____

Il t _____

8

Leggi la storia, scegli il verbo giusto e scrivilo sulla riga.

Chiara dorme e _____ *un libro grande e bello, con tanti disegni.*
                    sognano sogna

Il libro _____ *la storia di Nina e Lampo. Nella storia i due*
         racconti racconta

cani _____ *e* _____ *a Chiara.*
     parlate parlano   telefono telefonano

Chiara _____ *con Nina e Lampo. Poi la mamma dice:*
      parliamo parla

"Chiara, Chiara _____ *le 7.30, è ora di andare a scuola."*
        è sono

Chiara non dorme più... _____ *sotto il letto, sopra l'armadio,*
        guarda guardo

in bagno, ma Nina e Lampo non ci sono. Il sogno è finito!

1   Che animale è?

È un animale del deserto.

È il __ __ __ __ __ __ __ __ .

L' __ __ __ __ __ __ __ __ __ __ .

è un animale con un lungo naso e grandi orecchie!

Un animale con il collo lungo

è la __ __ __ __ __ __ __ __ .

Il __ __ __ __ __ è bianco e nero.

Il __ __ __ __ __ __ __ __ è un animale simpatico.

Il __ __ __ __ __ __ ha un naso piccolo e nero.

L' __ __ __ __ __ è grande e forte.

L' __ __ __ __ __ __ __ __ vola molto in alto.

La __ __ __ __ __ __ __ __ __ è bella e vola.

2

Conosci altri animali che vivono nei 5 continenti? Disegnali e scrivi i nomi.

Se non sai qualche parola cercala nel vocabolario!

3

Bruchetto-farfalla ha le ali piene di nomi. Ti ricordi questi nomi? Scrivili nei riquadri giusti.

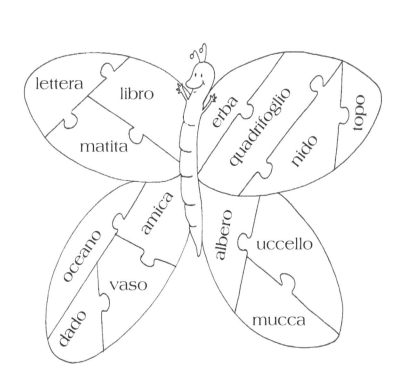

il

la

l'

4

Completa le frasi con i nomi e gli articoli giusti.

_____ _____ fanno il nido sulle montagne.

_____ _____ vivono in Europa.

Bruchetto legge ___ _____ di viaggio.

Dentro ___ _____ dell'Australia ci sono i koala.

Bruchetto vuole mangiare ___ _____ degli alberi con i koala.

Bruchetto vuole correre con ___ _____.

5

Chiara e Nicola leggono i cartelli. Leggi anche tu e poi traduci nella tua lingua.

6

Scrivi nelle caselle i verbi che mancano.

	viv-ere	chied-ere	legg-ere	scriv-ere
Io	viv**o**			
Tu		chied**i**		
Lui/Lei			legg**e**	
Noi				scriv**iamo**
Voi	viv**ete**			
Loro		chied**ono**		

Leggi le frasi e scrivile nei fumetti giusti.

Bambini, state buoni!
O questa notte la Befana
vi porta il carbone!

Ma allora quella lassù è
proprio la nostra Befana!

La notte della Befana succedono
cose molto strane... Ci sono
tempeste, tuoni e lampi.
Gli alberi e gli animali parlano...

gli occhiali
della Befana

2

Segna con una crocetta il mese giusto.

Lampo va al mare:
a novembre ☐
a gennaio ☐
a agosto ☐

Chiara mangia le castagne:
a marzo ☐
a ottobre ☐
a luglio ☐

Nina e Lampo giocano nel prato:
a aprile ☐
a dicembre ☐
a settembre ☐

Lisa si mette il maglione:
a giugno ☐
a maggio ☐
a febbraio ☐

3

Cosa sono? Scrivi e poi controlla le tue risposte nella storia *Gli occhiali della Befana*.

☐ ☐ ☐

☐ ☐ ☐

4 Scrivi le parole al posto giusto.

caramelle
bambola
trenino
bicicletta
lecca lecca
orsacchiotto
videogioco
croccante
cioccolatini

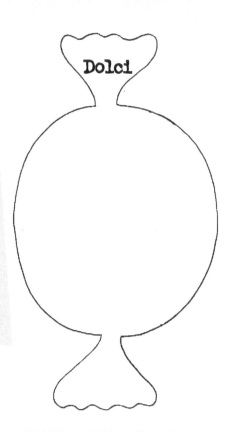

5 Scrivi anche tu una lettera per la Befana!

Cara Befana,

6

Disegna la tua famiglia e scrivi sotto ogni persona il termine giusto.

papà / mamma / nonno / nonna / fratello / sorella / zio / zia / cugino / cugina

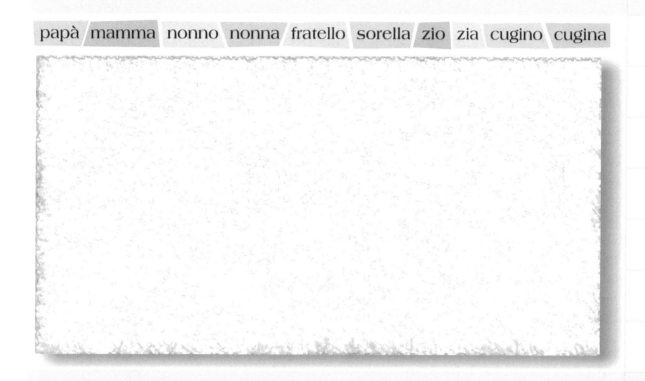

7

Completa il cruciverba.

8 Scrivi gli articoli giusti negli spazi vuoti.

La Befana
ha _____ capelli bianchi,
_____ naso grande, _____
bocca senza denti.

Ah, ah, ah!

Ha _____ fazzoletto
in testa, _____ scialle,
_____ gonna rattoppata.
_____ sue scarpe sono grosse e
rotte. E _____ suoi occhiali?
Sono sempre molto storti!

| lo | le | i | il | i | la | la | il |

9 Unisci la parola all'articolo giusto.

Gli	aquilone
Lo	caramelle
La	trenino
Il	cucina
L'	zaini
I	sgabuzzino
Le	tortellini

1

Scrivi nel pallone tutte le parole del calcio che trovi nella storia *Un misterioso calciatore.*

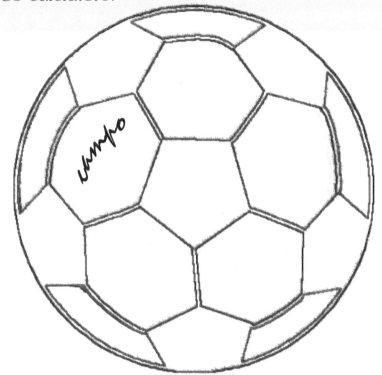

campo

2

Collega il disegno alla frase giusta.

pattina

gioca a calcio

gioca a tennis

fa nuoto

gioca a pallavolo

Chiara   Nicola

Paolo

Riccardo   Valentina

3 Completa i fumetti.

| due | gioco | a | io | che | fai | volte | sport | faccio |

4 Disegna e scrivi che sport fai.

Io _____

5

Cruciverba. Quale oggetto dello sport?

1. Servono per sciare.
2. Serve per nuotare.
3. Serve per giocare a calcio.
4. Servono per pattinare.
5. Serve per giocare a tennis.

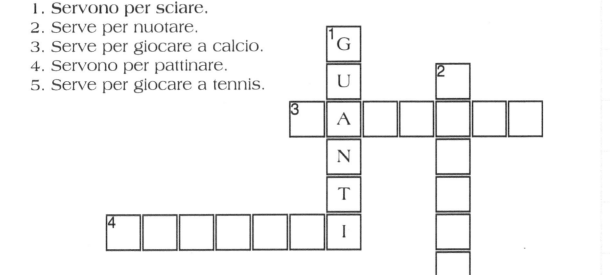

6

Cerchia in ogni gruppo la parola che non c'entra.

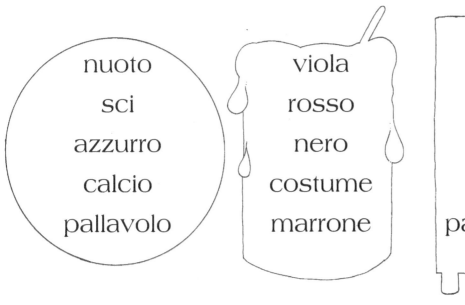

nuoto	pantaloni
sci	gonna
azzurro	camicia
calcio	calzini
pallavolo	pallacanestro

viola
rosso
nero
costume
marrone

7 Disegna e scrivi i nomi dei personaggi dello sport che preferisci.

_____

_____

_____

_____

_____

8 -e o -i ? Completa gli aggettivi con la lettera giusta.

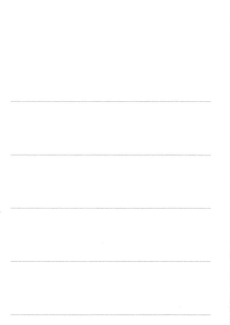

Una giraffa elegant ___   Due giraffe elegant ___

Una scimmia divertent ___   Tre scimmie divertent ___

Un coccodrillo fort ___   Quattro coccodrilli fort ___

9

Leggi e colora i vestiti dei bambini.

Chiara, Giulia e Valentina hanno le magliette dello stesso colore. Valentina ha il cappello e la maglietta rossi. Nicola ha i pantaloni dello stesso colore della gonna di Valentina. Tutti hanno i calzini bianchi. Valentina ha la gonna gialla e le scarpe marrone. Paolo ha la giacca dello stesso colore dei pantaloni di Nicola. Chiara e Paolo hanno i pantaloni verdi. Nicola ha la maglietta arancione. Giulia ha i pantaloni dello stesso colore delle scarpe. Quattro bambini hanno le scarpe nere.

1

Metti al posto giusto i nomi delle città.

Agrigento   Roma   Firenze

Venezia   Cagliari   Milano

2

Scrivi cosa devono procurarsi Chiara e Nicola per la caccia al tesoro.

Se hai bisogno di aiuto rileggi la filastrocca a pagina 97!

3

Metti una crocetta accanto alla città dove si trova il monumento.

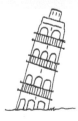 Dove si trova la Torre?

Verona ☐
Pisa ☐
Napoli ☐

 Dove si trovano i Templi?

Milano ☐
Torino ☐
Agrigento ☐

 Dove si trova l'Arena?

Verona ☐
Pisa ☐
Cagliari ☐

4 In quale città si trovano questi monumenti? Metti una crocetta.

		Siracusa	Venezia	Napoli	Firenze	Siena	Torino	Roma	Cagliari
	Ponte Vecchio								
	Nuraghe								
	Ponte di Rialto								
	Colosseo								
	Mole Antonelliana								
	Teatro Greco								
	Maschio Angioino								
	Piazza del Campo								

5

Rispondi e disegna.

Come si chiama la tua città?

_____

Quali monumenti ci sono nella tua città?

_____

_____

_____

_____

Quali prodotti tipici ci sono nella tua città?

_____

_____

_____

_____

Incolla una foto o una cartolina della tua città.

┌───┐
│   │
│   │
│   │
│   │
│   │
│   │
│   │
│   │
└───┘

6 Metti in ordine le risposte.

Cosa ha trovato Nina?

_____

| ha | un | Nina | tesoro | trovato |

Cosa ha trovato Chiara?

_____

| gattino | Chiara | un | trovato | ha |

Cosa hanno mangiato Chiara e Nicola?

_____

| mangiato | Nicola | hanno | e | cotoletta | e | Chiara | patatine |

7 _Un_ o _una_? Scrivi negli spazi gli articoli giusti.

 un  una

Nina ha trovato _____ forziere.

Nel forziere c'è _____ pergamena. Sulla pergamena

c'è _____ filastrocca. Nella filastrocca c'è _____ indo-

vinello per trovare _____ tesoro!

Scrivi i nomi dei negozi al posto giusto.

VESTITI   ALIMENTARI   EDICOLA   BAR

FARMACIA   PIZZERIA   GIOCATTOLI

2 Vero o Falso?

	Vero	Falso
In farmacia compro il pane.	☐	☐
Al bar compro i cornetti.	☐	☐
All'alimentari compro il parmigiano.	☐	☐
In farmacia compro le medicine.	☐	☐
Al bar compro la verdura.	☐	☐
In edicola compro il giornale.	☐	☐
All'alimentari compro gli spaghetti.	☐	☐
Nel negozio di vestiti compro le cartoline.	☐	☐
Nel negozio di giocattoli compro l'aquilone.	☐	☐
In edicola compro il prosciutto.	☐	☐
Nel negozio di vestiti compro i pantaloni.	☐	☐
Nel negozio di giocattoli compro la cioccolata.	☐	☐

3

Quale lista della spesa è più costosa?

Calcola i costi e lo scoprirai.

€ 3,00 l'etto

€ 1,50 l'uno

€ 2,00 l'una

€ 3,50 l'etto

€ 18,00 al kilo

€ 2,50 al kilo

€ 1,50 il pacchetto

€ 3,00 al kilo

€ 5,00 l'uno

€ 1,80 l'etto

€ 6,00 l'una

Lista della spesa

1 aranciata _____
2 etti di parmigiano _____
1/2 kilo di pane _____
1 pizza _____
totale _____

Lista della spesa

2 panettoni _____
1/2 kilo di frutta _____
1 gelato _____
2 pacchetti di figurine _____
totale _____

Lista della spesa

3 etti di caramelle _____
3 etti di parmigiano _____
2 pizze _____
2 etti di prosciutto _____
totale _____

Lista della spesa

2 panettoni _____
2 etti di parmigiano _____
1/2 kilo di strudel _____
1 pizza _____
totale _____

4 Scrivi le frasi al posto giusto nei fumetti.

Buongiorno!
Vorrei un
cornetto e
un'aranciata!

Buongiorno signore,
vorrei della pizza.

Buongiorno,
vorrei provare
quella bicicletta!

Buonasera,
vorrei provare
quel vestito.

5

Cosa c'è nella tua città? Metti una crocetta.

6

Disegna una mappa della zona dove abiti. Scrivi i nomi delle vie e degli edifici importanti.

Per vedere come si fa puoi guardare la mappa di pagina 116!

Ricomponi le parole del Carnevale.

stelle fi	bette
Prin	ta
trom	doli
masche	ro
Fa	cipe
Zor	rine
Princi	lanti
corian	pessa

2

Scrivi i nomi delle maschere vicino alla loro città.

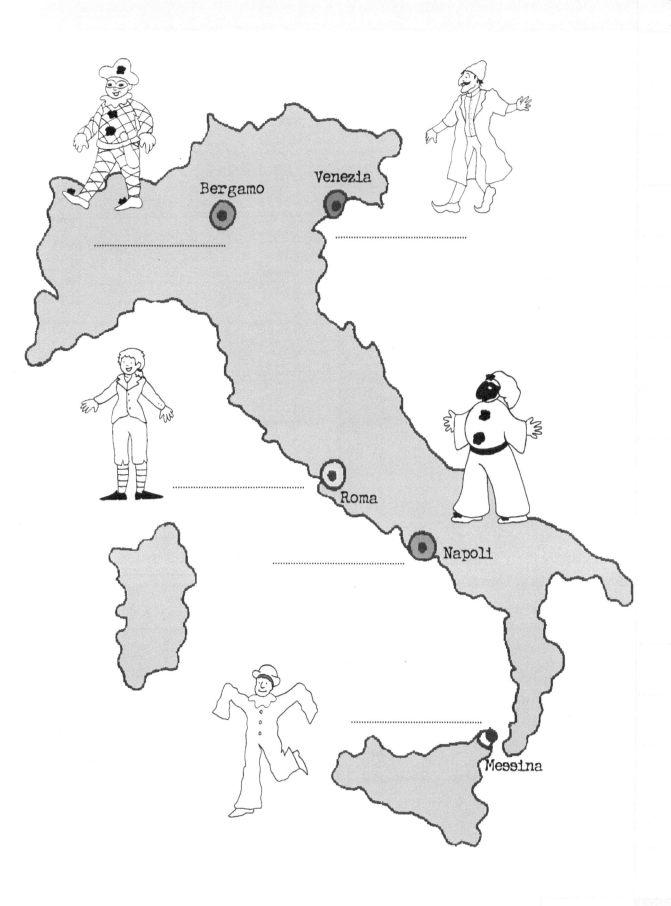

3 Com'è ogni maschera?

Scrivi al posto giusto nel cruciverba gli aggettivi corrispondenti
alle maschere.

pigro furbo bella simpatico avaro coraggioso grasso spiritoso goloso testardo

4

Si sono mescolati i costumi. A ogni personaggio manca qualcosa. Scrivi sotto il nome della maschera quello che gli manca.

Puoi guardare i disegni sul libro a pagina 124!

Capitan Fracassa

➝ _____

Brighella

➝ _____

Colombina

➝ _____

Balanzone

➝ _____

Gianduia

➝ _____

5

Completa le frasi.

Nicola e Chiara _____ a Venezia.

Nicola e Chiara _____ al Ponte di Rialto.

Nicola e Chiara _____ tante maschere.

Nicola e Chiara _____ il tesoro.

Nicola e Chiara _____ con il sindaco.

Nicola e Chiara _____ a casa.

| sono arrivati | hanno visto | sono andati |
| hanno trovato | hanno parlato | sono tornati |

Scrivi i seguenti nomi nell'ordine in cui compaiono nella storia *Le vacanze di Chiara e Nicola.*

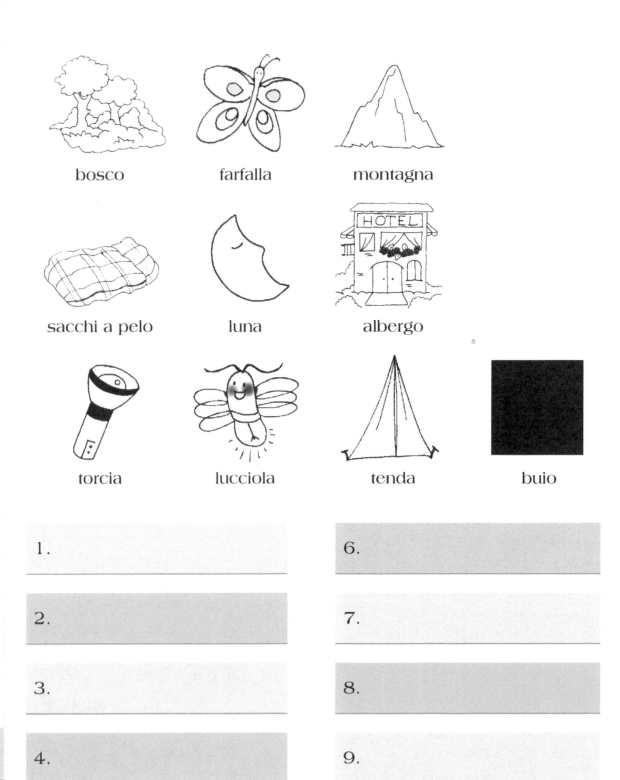

bosco   farfalla   montagna

sacchi a pelo   luna   albergo

torcia   lucciola   tenda   buio

1. _____

2. _____

3. _____

4. _____

5. _____

6. _____

7. _____

8. _____

9. _____

10. _____

2

Cosa dice Chiara? Leggi le frasi e scegli il fumetto giusto.

È notte e Chiara e Nicola sono nel bosco.	
È inverno.	
A Nicola cade la torcia.	
Chiara e Nicola hanno camminato tanto.	

ATTENTO!

HO FREDDO!

SONO STANCA!

HO PAURA!

3

Scrivi e disegna le parole delle vacanze.

DENTO		
rintofideco	susloba	peclinlopa
dentifricio		
zonospizla	tecra	posena
norgianilo	migapai	chilocia ad oels

4 Completa le frasi prima al singolare e poi al plurale.

Chiara _____ dal letto.

Va in bagno e _____ la faccia con l'acqua

e poi _____ i vestiti.

Chiara e Nicola _____ dal letto.

Vanno in bagno e _____ la faccia con l'acqua

e poi _____ i vestiti.

si mettono si mette si lava si alzano si alza si lavano

Attacca la foto di un posto in cui sei stato in vacanza e scrivi.

Sono andato/a

_____

Ho visto

_____

_____

_____

_____

Unità 1 - Esercizio 4

```
                    S
1        LUNEDI
2        MARTEDI
3        SABATO
4          GIOVEDI
5            MERCOLEDI
6  DOMENICA
7          VENERDI
                    A
```

Unità 6 - Esercizio 7

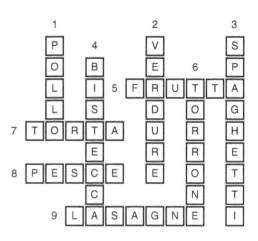

Unità 2 - Esercizio 6

```
1        PESCE
2          GATTO
3        RANA
4        PAPPAGALLO
5          TARTARUGA
6        CRICETO
7        CANE
8          CONIGLIO
```

Unità 7 - Esercizio 5

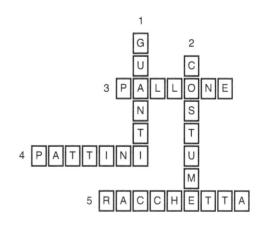

Unità 4 - Esercizio 2

```
B L L T A V O L O O L A T A Z
F R I G O R I F E R O R O O L
E D F I R D E D O L E T R O D
T S I L E T N M I F F E P A I
M E G E O A R T E O S G E C V
A D U T C H D A F R U T D A A
R I R T O A L O V O B E I R N
T E I O L U R O I I R U N T O
P E S C E S P A D A G M E O T
Z Z H H L Q S O N I A V I L R
P E S C E S E G A E L L R I E
R O L O F I B A L D L C A O D
P E S C E M A R T E L L O E R
P Z H Z E F L A V A T R I C E
A R M A D I O F C O P E R T A
```

Unità 10 - Esercizio 3

soluzioni

APPUNTI

APPUNTI

APPUNTI

APPUNTI

APPUNTI

APPUNTI

APPUNTI

APPUNTI